D0306925

# Fy llyfr mawr pinc am bopeth

Chez Picthall & Christiane Gunzi

Gomer

# Cynnwys

Cyhoeddwyd gyntaf ym Mhrydain yn 2005
gan Picthall & Gunzi Cyf, 21a Widmore Road,
Bromley, Caint BR1 1RW
dan y teitl *My big pink book of everything*

Cyhoeddwyd gyntaf yng Nghymru yn 2008
gan Wasg Gomer, Llandysul, Ceredigion SA44 4JL
www.gomer.co.uk

ISBN 978 1 84323 987 1





Atgynhyrchwyd gan Colourscan yn Singapore
Argraffwyd a rhwymwyd yn China

# Nodiadau i rieni a gofalwyr

Llyfr sydd wedi ei greu yn arbennig i ddiddanu ac addysgu cynulleidfa ifanc sydd wrth eu bodd gyda'r lliw pinc yw *Fy Llyfr Mawr Pinc am Bopeth*. Drwy gyfeirio at rai o hoff themâu pob merch fach, mae *Fy Llyfr Mawr Pinc am Bopeth* yn ymdrin â chysyniadau sy'n cynnwys rhifo, cymharu, geiriau croes, lliwiau a siapiau, a datblygu sgiliau adnabod rhifau sylfaenol yn barod ar gyfer yr ystafell ddosbarth.

Mae sgiliau adnabod geiriau hefyd yn cael eu datblygu, trwy gyfrwng geirfa, banciau geiriau, gêmau dilyn trywydd a drysfeydd. Drwy ganolbwyntio ar ddysgu trwy chwarae, mae *Fy Llyfr Mawr Pinc am Bopeth* yn fodd i ddatblygu sgiliau cyfathrebu a deall, gan ddatblygu hyder plant wrth baratoi ar gyfer eu blynyddoedd cyntaf yn yr ysgol.

Cwestiynau heriol ar dop pob tudalen i hybu sgiliau cyfathrebu a darllen.

Gwrthrychau bach sy'n cyfateb i bob rhif tudalen, yn cynnig mwy o bethau i chwilio amdanynt a'u rhifo.

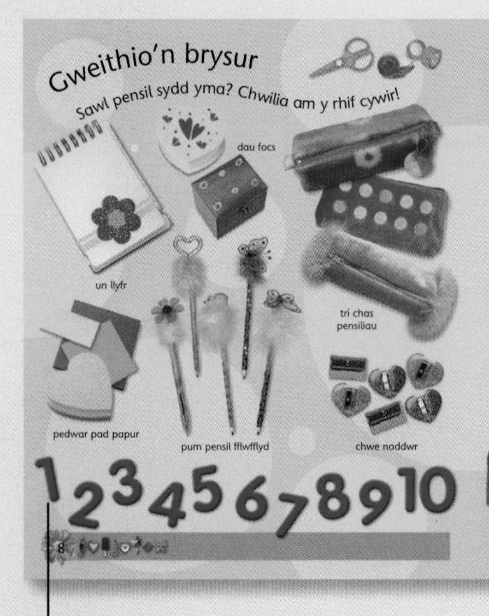


Gweithgareddau diddorol a heriol drwy'r llyfr er mwyn annog plant i ddarllen a rhifo.

Lluniau llachar a lliwgar o wrthrychau bob dydd i gynnal diddordeb y plentyn.

**Sut i ddefnyddio'r llyfr hwn**

Datblygwyd *Fy Llyfr Mawr Pinc am Bopeth* drwy gydweithrediad rhieni ac arbenigwyr addysg fel cyfrwng i blant ac oedolion fwynhau gyda'i gilydd, ac i blant hefyd fedru cael hwyl ar eu pennau eu hunain. Gellir defnyddio'r cwestiynau ar dop pob tudalen fel man cychwyn pan fo amser yn brin. Ceir rhyw fath o weithgaredd ar bob tudalen (*gweler* y dudalen Gynnwys am fanylion).

Drwy annog plant i gael hwyl gyda rhifau a geiriau, bydd eu hyder a'u mwynhad o ddarllen ac o ddysgu mathemateg yn sicr o ddatblygu erbyn iddynt ddechrau'r ysgol. Wrth ddarllen y llyfr gyda'ch gilydd, gellir annog eich plentyn i siarad ymhellach am rifau, patrymau, siapiau a lliwiau sydd i'w gweld o'ch cwmpas bob dydd.
Yn bennaf oll,
mwynhewch!

**Gair o Gyngor gan y Dylwythen Deg Binc**

- Mae'n bwysig eich bod yn gyfforddus cyn dechrau edrych ar y llyfr hwn.
- Byddwch yn hyblyg gan adael i'r plentyn ddewis unrhyw dudalen wrth ddechrau darllen.
- Mae canmoliaeth yn bwysig, yn ogystal â gorffen ar nodyn cadarnhaol bob amser.
- Dylid trafod ac edrych ar unrhyw rifau a geiriau sy'n bwysig i'ch plentyn chi.
- Cyfeiriwch at rifau, parau a grwpiau o bethau pan fyddwch allan gyda'ch gilydd.
- Cyflwynwch weithgareddau'n llawn sbri i'ch plentyn, megis bancio, sy'n medru cynnwys rhifo a phwyso pethau.
- Os gwyddoch am unrhyw rigymau yn ymwneud â rhifo, cofiwch eu dysgu i'ch plentyn.

# Yr wyddor binc

Beth am ddweud yr wyddor o a i y!

Sawl llythyren sydd yn yr wyddor?

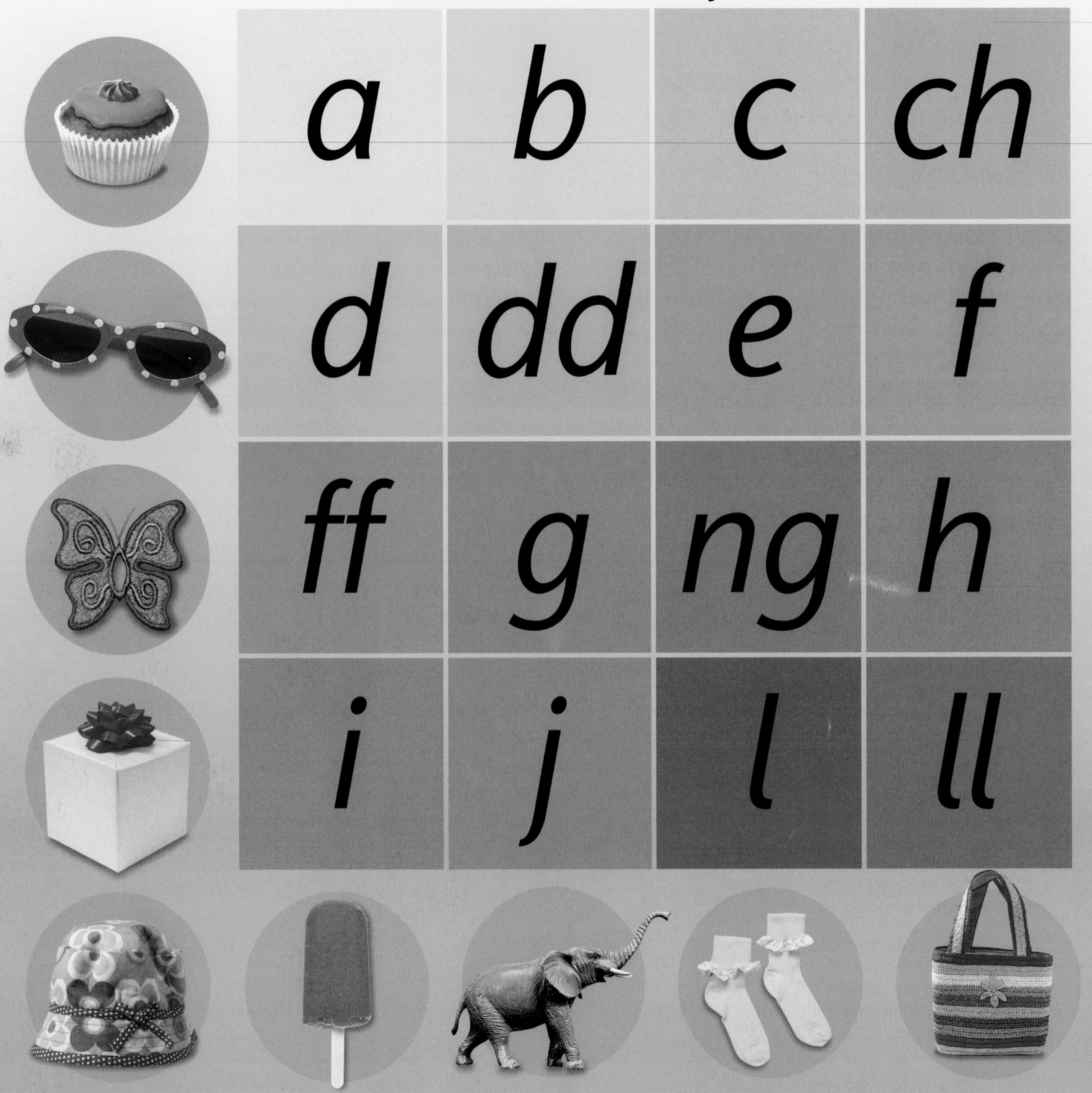


a b c ch d dd e f ff g ng h i j l ll m n o p ph r rh s t th u w y

Fedri di bwyntio at y llythyren p am pinc?

Ble mae'r llythyren d am doli?

Pa lythrennau sydd yn dy enw di?

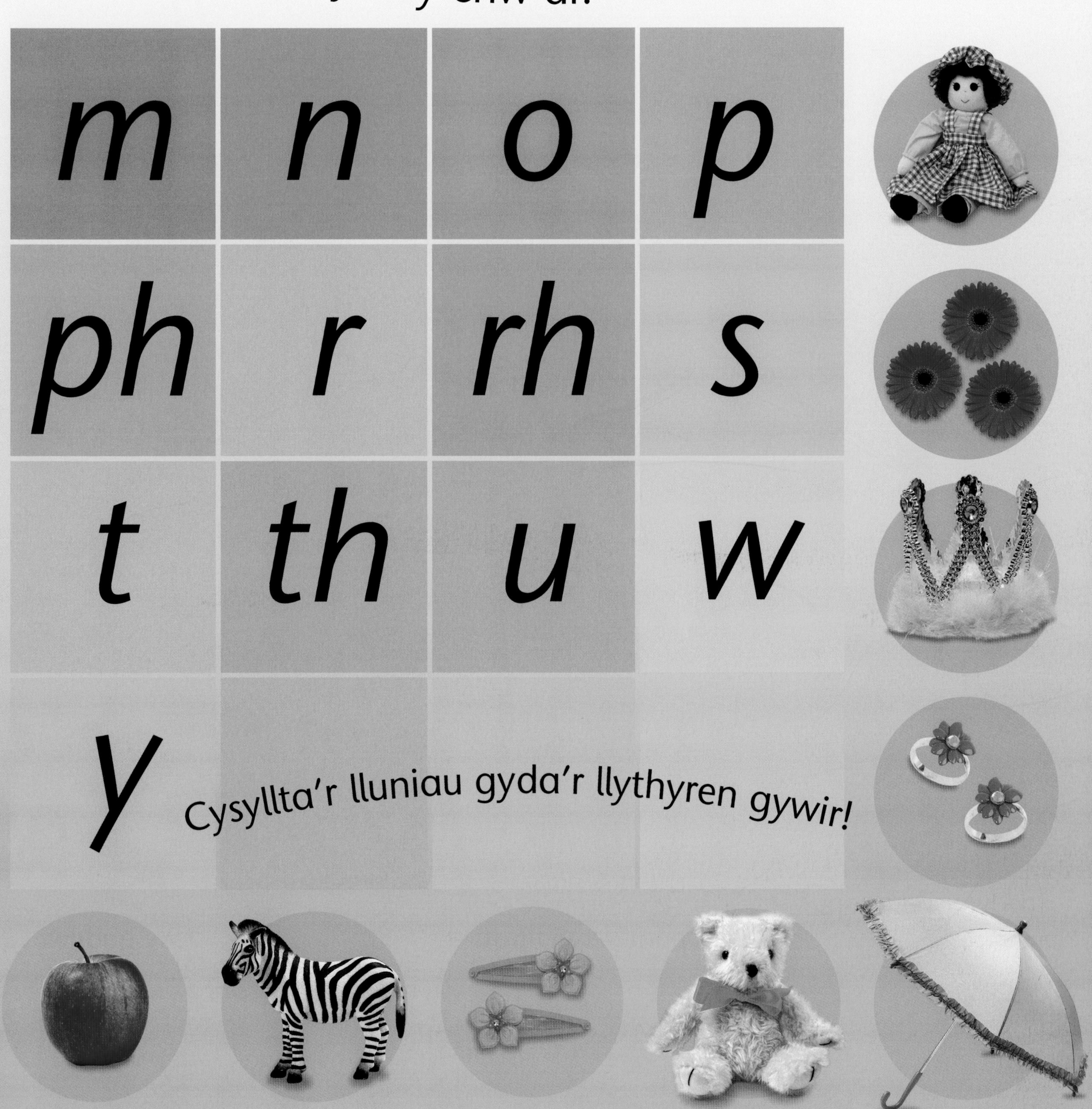


Cysyllta'r lluniau gyda'r llythyren gywir!

A B C CH D DD E F FF G NG H I J L LL M N O P PH R RH S T TH U W Y

# Gweithio'n brysur

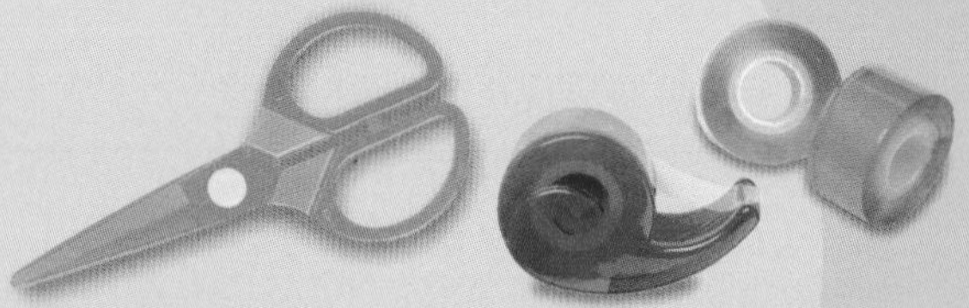

Sawl pensil sydd yma? Chwilia am y rhif cywir!

dau focs

un llyfr

tri chas pensiliau

pedwar pad papur

pum pensil fflwfflyd

chwe naddwr

1 2 3 4 5 6 7 8 9 10

Sawl pen lliw fedri di rifo?
Sawl rhwbiwr sydd yma? Chwilia am y rhif cywir!
Beth am rifo o un i ddeg?
saith pen lliw
wyth darn o bapur
naw rhwbiwr
deg clip papur

Fy hoff bethau
Sawl lastig gwallt sydd yma?
Chwilia am y rhifau o un deg un i ddau ddeg!
un deg un lastig gwallt
un deg dau cylch allwedd
un deg tri rhwbiwr
un deg pedwar marblen
un deg pump anifail tegan
11 12 13 14 15

Sawl sticer sydd yma? Chwilia am y rhif cywir!
Sawl pen lliw sydd yma? Chwilia am y rhif cywir!
Sawl clip gwallt sydd yma?

un deg chwech sticer

un deg saith losinen

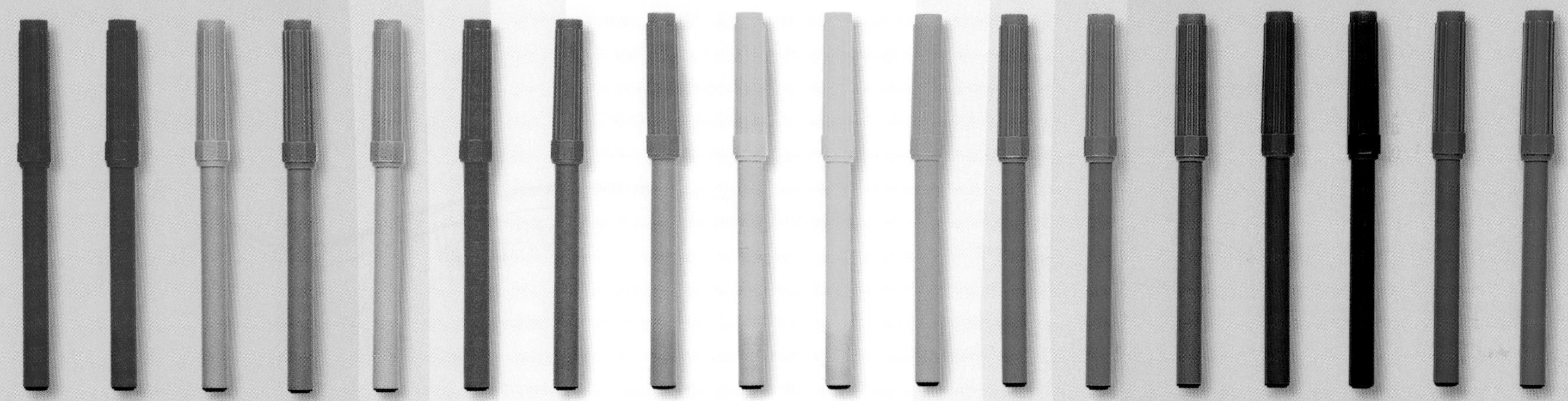

un deg wyth pen lliw

un deg naw clip gwallt

dau ddeg pensil lliw

16 17 18 19 20

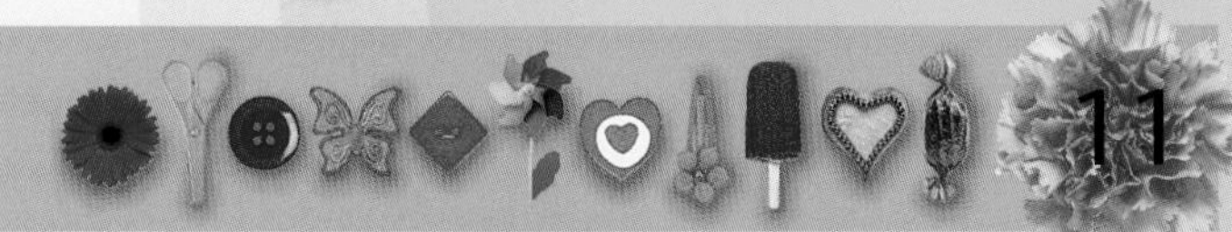

# Beth am gael picnic?

Fedri di enwi'r bwydydd hyn?

Sawl lliw fedri di weld?

creision

caws

mefus

afalau

tomatos

iogwrt

bisgedi

cacennau

brechdanau

bara

blancedi

gwydrau

platiau

coch

melyn

pinc

gwyrdd

oren

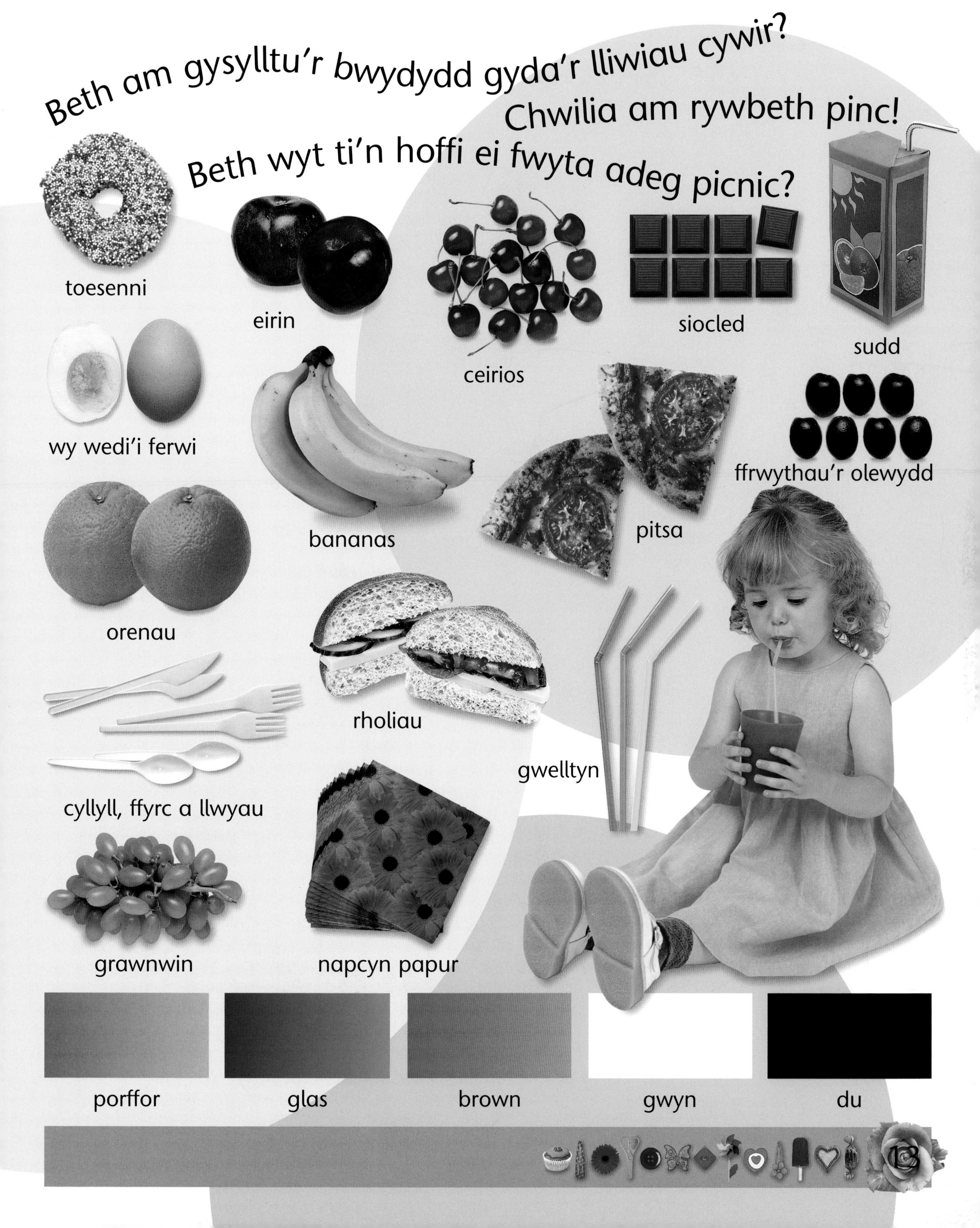
Beth am gysylltu'r bwydydd gyda'r lliwiau cywir?
Chwilia am rywbeth pinc!
Beth wyt ti'n hoffi ei fwyta adeg picnic?
toesenni
eirin
ceirios
siocled
sudd
wy wedi'i ferwi
bananas
pitsa
ffrwythau'r olewydd
orenau
rholiau
cyllyll, ffyrc a llwyau
gwelltyn
grawnwin
napcyn papur
porffor
glas
brown
gwyn
du
13

# Edrych ar siapiau!

Fedri di enwi'r siapiau fflat i gyd?

Pa siâp yw llun y bachgen?

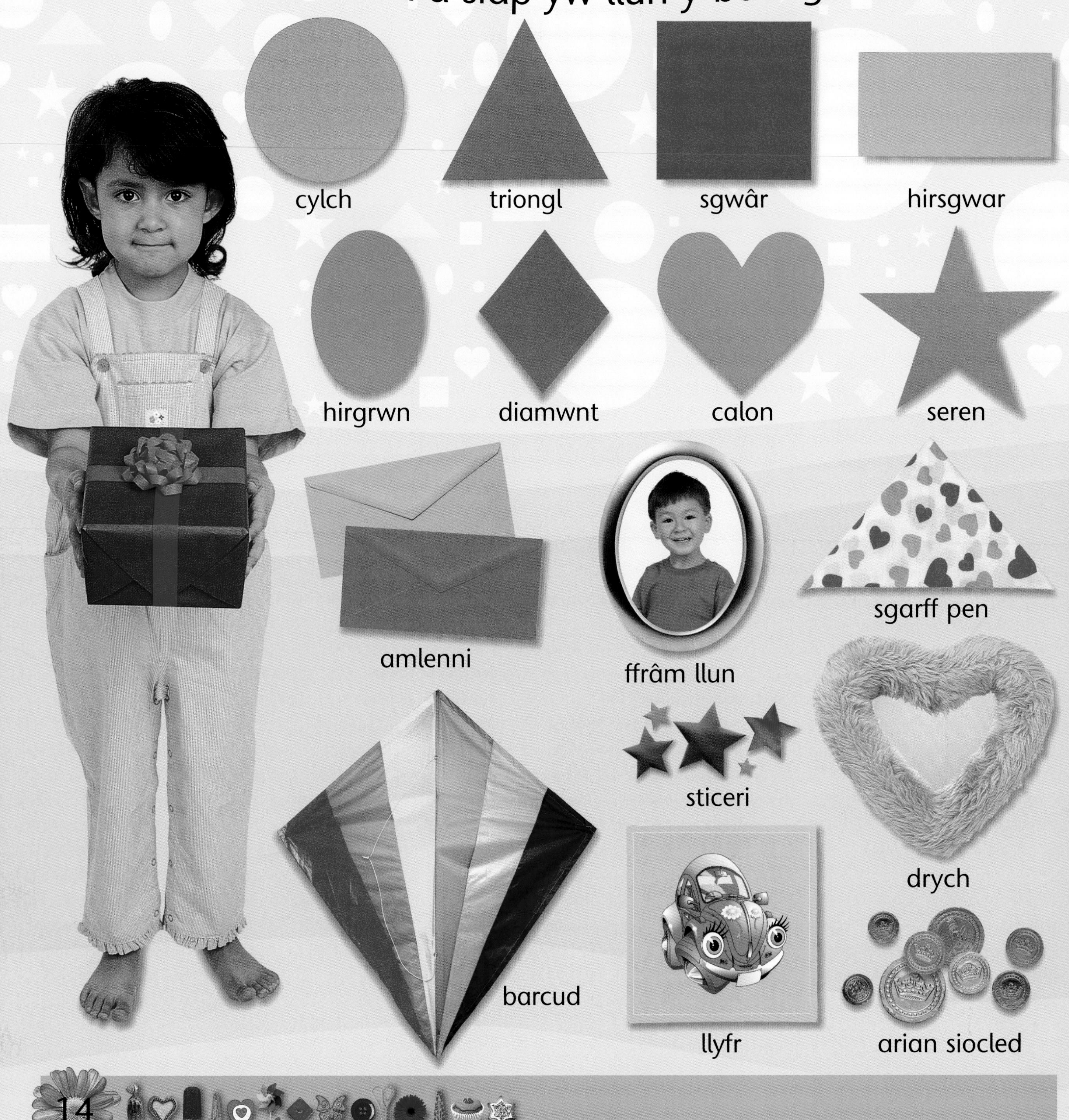

Fedri di enwi'r siapiau solet i gyd?

Beth am gysylltu'r lluniau isod gyda'r siapiau cywir?

Pa siâp yw cês y ferch?

Fy niwrnod prysur
Fedri di weld rhywun yn coginio?
Pa ferch sy'n sgubo'r llawr?
Rydw i'n sgubo'r llawr.
padell ffrio
Rydw i'n coginio brecwast.
sosban
ffedog
ffwrn
Rydw i'n plannu blodyn
cacennau
dillad
Rydw i'n golchi dillad.

Beth mae'r plant eraill yn ei wneud?

Beth wyt ti'n hoffi gwneud?

Cysyllta'r geiriau gyda'r lluniau cywir!

doliau

can dŵr

brwsh a rhaw lwch

peiriant golchi

powlen

blodyn

Rydw i'n gwneud cacen.

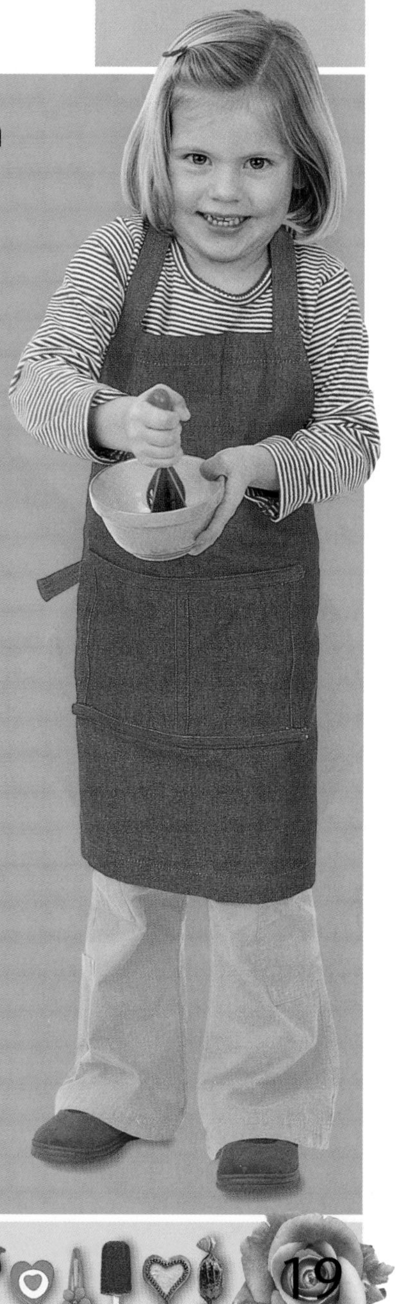

Rydw i'n gwthio pram doli.

# Digon o sbort a sbri!

Fedri di helpu'r ferch fach i ddod o hyd i'w dillad tylwyth teg? Cysyllta'r geiriau gyda'r lluniau!

| torrwr porfa | coron | allweddi | bath | lamp | cath | siampŵ hud | cloc |
|---|---|---|---|---|---|---|---|
| ffon hud | awyren | tylwyth teg | teledu | breichled | drws | camera | modrwy hud |
| cyfrifiadur | tegell | ffôn | gwisg hardd | injan dân | sliperi hud | adenydd | radio |
| ci | gliter | clipiau gwallt | ffenest | llyfr swynion | soffa | oergell | sugnwr llwch |

# Byd môr-forwyn

Dilyna'r cortyn i gysylltu'r geiriau gyda'r lluniau!

dolffiniaid

morfeirch

cimwch

cranc

môr-forwyn

cregyn

pysgod

môr-ddraenog

# Beth am gael parti?

Oes balŵn i bawb?

Sawl merch sydd yn y parti?

hetiau parti

balwnau

melysion

chwythwyr

cacennau

Oes het i bob merch?
Oes digon o felysion i bawb?
Oes mwy o anrhegion na phlant?
masgiau
bisgedi
ysgytlaeth
lolipops
anrhegion

Ar lan y môr
Sawl castell tywod fedri di weld?
Beth mae'r plant yn ei wneud?
bandiau nofio
cestyll tywod
gogls nofio
seren fôr
het haul
hufen iâ
cregyn
eli haul
sbectol haul
Rydw i'n hoffi gwrando ar sŵn y môr yn y gragen.
Rydw i'n hoffi palu gyda rhaw.
Rydw i'n hoffi adeiladu cestyll tywod.

Fedri di weld pâr o fflip-fflops?
Beth am chwilio am barau eraill?
Cysyllta'r geiriau gyda'r lluniau!
barcud
cylch rwber
pêl lan môr
esgidiau jeli
gwisg nofio
rhaw
loli-pop
fflip-fflops
traed broga
bwced
melin wynt
Rydw i'n hoffi gwisgo gwisg nofio binc.

# Ystafell ymolchi brysur

## Beth fedri di weld yn yr ystafell ymolchi?

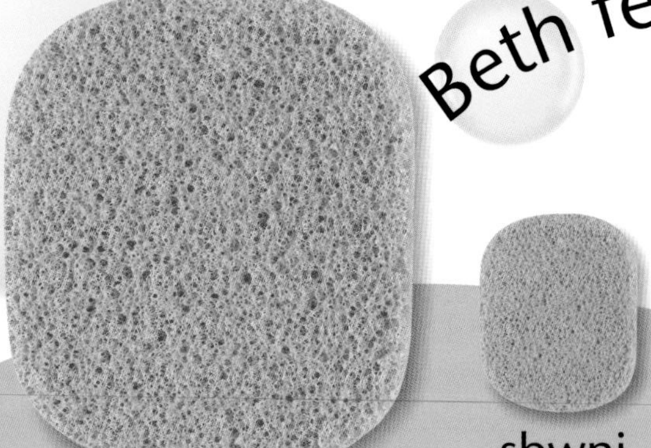

bocs wedi'i agor

bocs wedi'i gau

sbwnj mawr

sbwnj bach

potel fer

potel dal

crib gul

potel lawn

potel wag

crib lydan

brws garw

sebon llyfn

cadach gwlyb

cadach sych

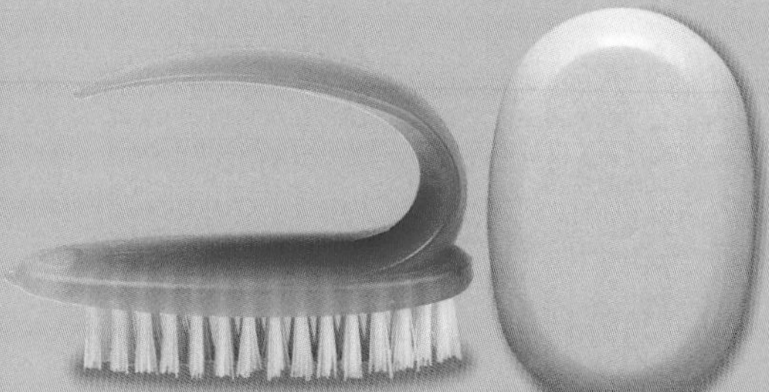

Mae'r tap hwn ar agor.

Mae'r tap hwn ar gau.

Pwyntia at sbwnj mawr a sbwnj bach!

Fedri di weld rhywbeth byr a rhywbeth tal?

Chwilia am bethau croes!

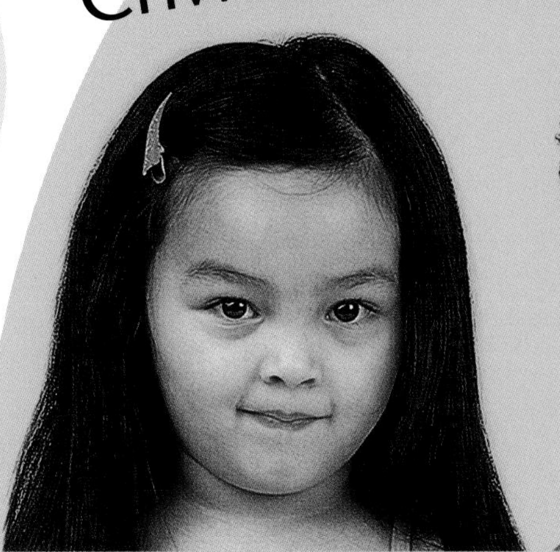
gwallt syth

gwallt cyrliog

tu blaen
y ferch

cefn
y ferch

tegan bath caled

gwlân cotwm
meddal

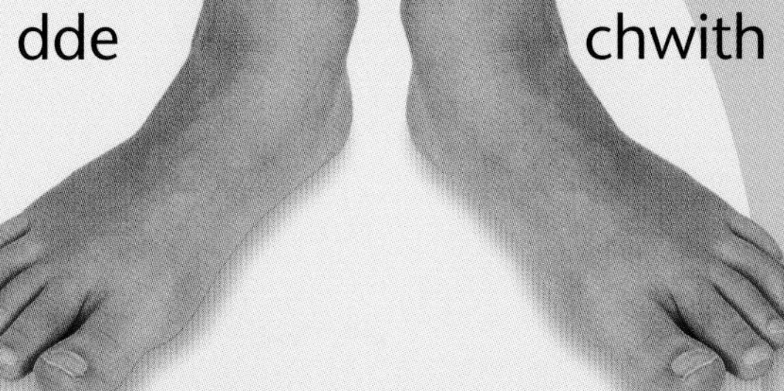
troed
dde

troed
chwith

ychydig o ffyn
cotwm

llawer o
ffyn cotwm

brws
dannedd
newydd

hen frws
dannedd

Hwyaden yn y dŵr.

Hwyaden allan o'r dŵr.

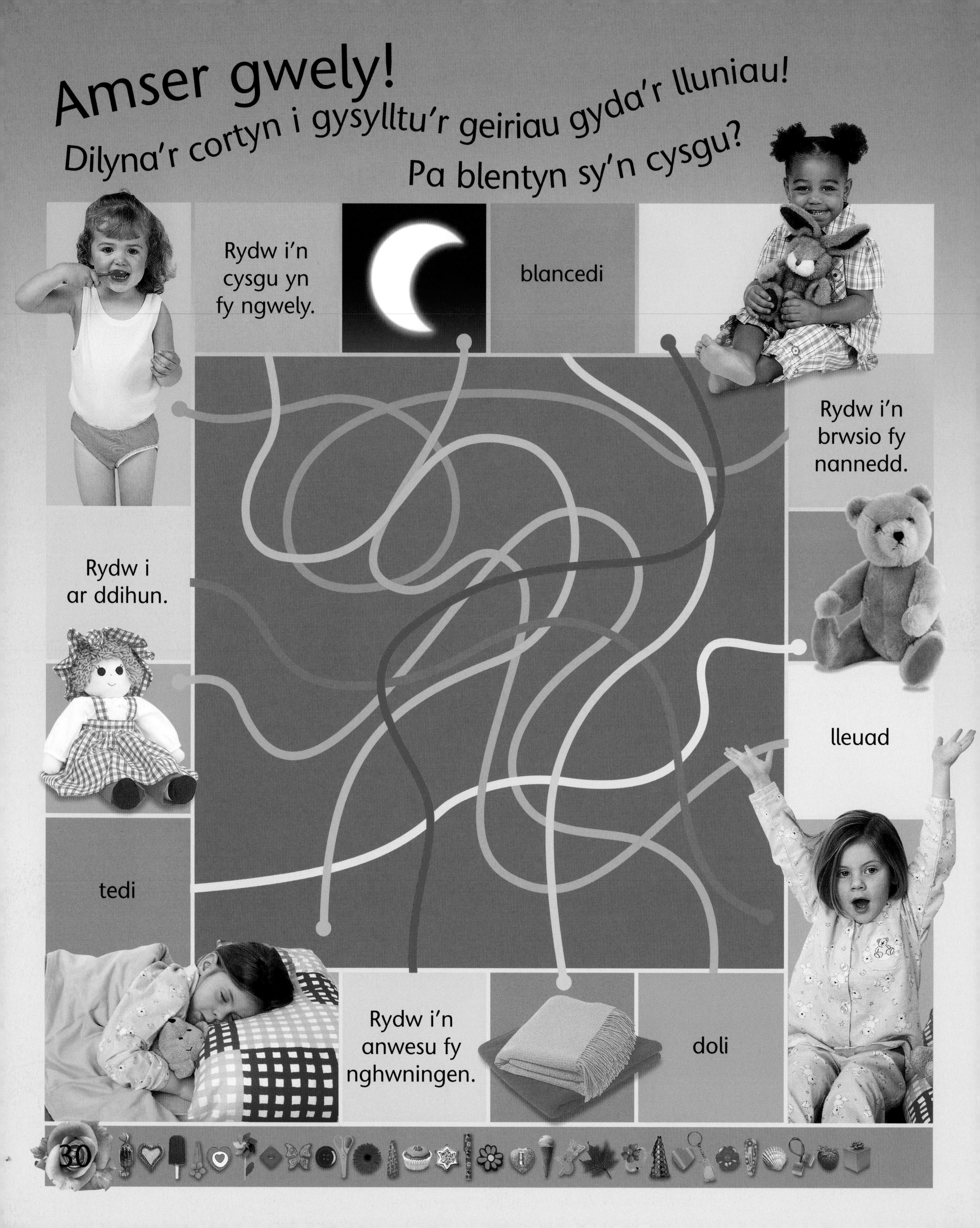
Amser gwely!
Dilyna'r cortyn i gysylltu'r geiriau gyda'r lluniau!
Pa blentyn sy'n cysgu?
Rydw i'n cysgu yn fy ngwely.
blancedi
Rydw i'n brwsio fy nannedd.
Rydw i ar ddihun.
lleuad
tedi
Rydw i'n anwesu fy nghwningen.
doli
30

## Fedri di helpu'r ferch fach i gyrraedd ei gwely?

## Beth am gysylltu'r geiriau amser gwely gyda'r lluniau?

## Pa rai sydd ar ôl?

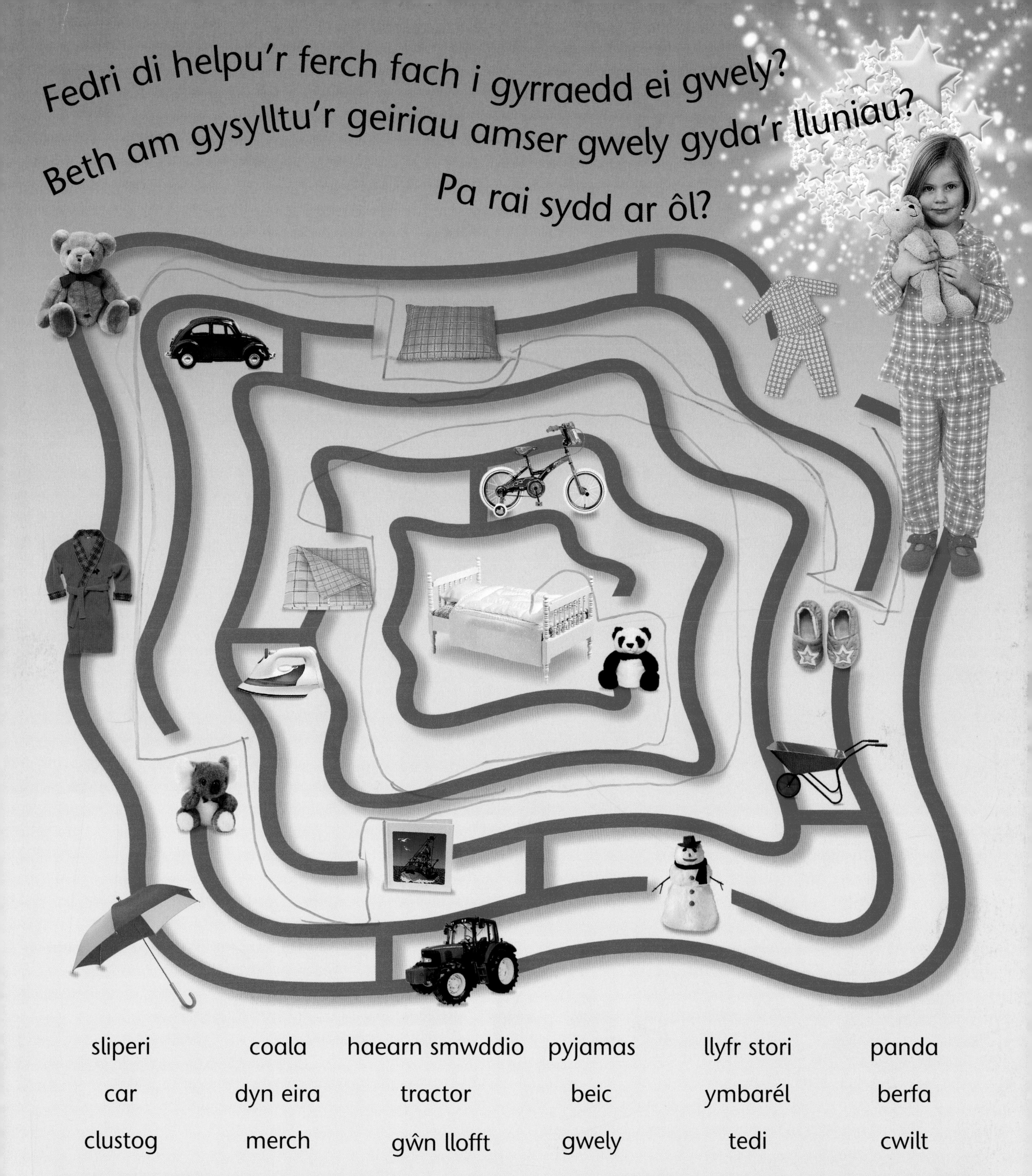

| | | | | | |
|---|---|---|---|---|---|
| sliperi | coala | haearn smwddio | pyjamas | llyfr stori | panda |
| car | dyn eira | tractor | beic | ymbarél | berfa |
| clustog | merch | gŵn llofft | gwely | tedi | cwilt |

# Cysylltu pethau pinc!

Fedri di weld blodau pinc?

Chwilia am ddau fochyn pinc!

Ble mae'r melysion pinc?